ZAC YN GRAC

Cyflwynedig i Gwyn Jones,
cyn-gapten tîm rygbi Cymru

ⓗ y testun Gwyn Morgan ©
ⓗ y darluniau Dai Owen ©

Cyhoeddwyd gan Wasg y Dref Wen
28 Ffordd yr Eglwys
Yr Eglwys Newydd, Caerdydd
Ffôn (01222) 617860
Argraffwyd ym Mhrydain

Argraffiad cyntaf 1999

Cyhoeddwyd dan gynllun comisiynu Cyngor Llyfrau Cymru.

Dymuna'r cyhoeddwyr gydnabod cymorth
Adrannau Cyngor Llyfrau Cymru.

Panel Golygyddol Llyfrau Lloerig:
Hywel James
Rhiannon Jones
Elizabeth Evans

LLYFRAU LLOERIG

ZAC YN GRAC

Gwyn Morgan a Dai Owen

DREF WEN

Dyma Zac. Daeth Zac yn arwr cenedlaethol
pan enillodd tref fechan Brynchwim ffeinal
Cwpan y Swigod yn erbyn dinas fawr
Casgarw. Roedd Zac, ei dad, a Tim Chwim,
newyddiadurwr a ffrind gorau Zac, yn
gwrando'n astud ar y radio. Roedden nhw ar
bigau'r drain eisiau gwybod a oedd Zac wedi'i
ddewis i chwarae i dîm gwlad Canllawia yn
erbyn Snobolia y Sadwrn canlynol.

SAFLE	CANLLAWIA	SNOBOLIA
Cefnwr	**Dai Davies** (Pwllderi)	**Wilber Smythe-White** (Snootyville)
Asgellwr	**Wil Williams** (Bryn Chwim)	**Henry Hinks** (Lt. Col.) (Old Chums Utd)
Canolwr	**Morgan Morgan** (Sŵn y Gnec)	**Percy Fellows** (Free Mason Fridays)
Canolwr	**Tom Tomos** (Cricht)	**Lawrence Sterns** (Commander) (Tallyho-on-Sea)
Asgellwr	**Huw Huws** (Cnec y Waun)	**Cuthbert Coruthers** (Top Hole Wanderers)
Mewnwr	**Dafydd Dafis** (Brynchwim)	**Snyde Percival** (Wing Commander) (Free Mason Fridays)
Maswr	**Gwyn ap Gwyn** (Cricht)	**Peter Higginbottom** (Pucker Wanderers)
Prop	**Emyr Aled** (Sŵn y Gnec)	**A.J. Lingertwood** (Old Chums United)
Bachwr	**Llew Urien** (Pwllderi)	**David Fairbrother** (Old Etonians)
Prop	**Aneurin Siôn** (Casgarw)	**Jeremy Luff** (capt) (Bubbly Blues Utd)
Clo	**Dai Williams** (Cnec y Waun)	**Peter Parsons** (L.R.A.M.) (Bubbly Blues Utd)
Clo	**Huw Morgan** (Bwrlwm)	**William Eaton** (Snootyville)
Blaenasgellwr	**Elidir Bevan** (Melltith ar Wysg)	**A.E. Nutter** (B.A., B.D.) (Pucker Wanderers)
Wythwr	**Bleddyn Owen** (capt) (Bwrlwm)	**G.N. Yallop** Tallyho-on-Sea
Blaenasgellwr	**Zac Evans** (Brynchwim)	**Arthur Fagin** (Q.C.) (Top Hole Wanderers)
DYFARNWR:	**Rick O'Shea** (Ewenia)	
EILYDDION:	**Jack Mort** (Casgarw) **Bil Ffôn** (Bwrlwm)	**Reginald Pink-Bottom** (Old Etonians) **Farquar Ting** (Tallyho-on-Sea)

Methodd Zac yntau â
chysgu y noson cyn y gêm.
Roedd e'n troi a throsi yn
ei wely wrth feddwl a
meddwl am
y gêm.

Roedd pawb yn hapus bod Zac am gael ei gap,
wel pawb ond . . .

Pydew Jenkins a thîm dinas Casgarw, prif ddinas Canllawia. Nid yw eu rheolwr, Cynrhon Richards, yn y llun.

Byddai pob un ohonyn nhw'n hoffi cicio, tagu, a damsang Zac dan draed am mai ef oedd arwr tîm pentre Brynchwim a'u trechodd nhw yn ffeinal Cwpan y Swigod. A byth ers hynny roedden nhw'n genfigennus iawn o lwyddiant Zac ac yn ei gasáu â chas perffaith.

Roedd Cynrhon yng ngharchar y Benglog, Casgarw, oherwydd iddo roi arian i ddyfarnwr ffeinal Cwpan y Swigod er mwyn iddo helpu Casgarw i ennill y gêm.

'Mae Zac am ennill ei gap! Dratia! Ac alla i wneud dim oll i'w rwystro!' meddai Cynrhon. Roedd e'n beio Zac a Tim Chwim am ei anfon i'r carchar. 'Be wnawn ni, bòs?' gofynnodd Pydew.

Ar ôl meddwl am rai munudau gwenodd Cynrhon. 'Mae 'da fi gynllun, bois!'

Roedd golwg gyfrwys iawn ar wyneb Pydew wrth iddo feddwl am ei gynlluniau cas i ddial ar Zac a Tim.

Daeth bore'r gêm, ac roedd tîm Canllawia wedi cyrraedd Parc y Bleiddiaid.

Roedd y tywydd yn ffafriol a chyflwr y cae yn ardderchog. Roedd awyrgylch carnifal y tu allan i'r maes ac yn yr eisteddleoedd. Roedd cefnogwyr y ddwy wlad yn gwisgo dillad ffansi. Gwisgai rhai cefnogwyr fel Llychlynwyr, rhai fel cowbois ac eraill fel clowns. Roedd chwaraewyr Canllawia yn ysu am gael curo'r *hen elyn*. Ac roedd Snobolia hefyd am roi crasfa go iawn i Canllawia. Roedd pob chwaraewr wedi'i wisgo'n drwsiadus ac yn edrych ymlaen at y gêm.

'Zac! Mae rhywun yn gofyn am dy lofnod,' meddai Tim Chwim.

Roedd hen fenyw swil, ffwndrus yn aros am Zac. Gwenodd yn garedig arno.

'Elsi ydw i,' meddai'r hen fenyw. 'Tybed ga i'ch llofnod i fy ŵyr bach? Chi yw ei arwr.'

Cyn iddi fedru ateb, gwnaeth criw o ddynion wedi'u gwisgo fel clowns sgrym o gwmpas y ddau.

'Drychwch! Dyma Zac! Zac Evans!' meddai'r clowns yn gynhyrfus.

'Ein harwr! Beth am lofnod?' gofynnodd y gweddill. Aeth Tim yn ôl i'r ystafell newid tra oedd Zac yn llofnodi'r holl lyfrau.

A'r foment nesa . . .

Chwistrellodd un o'r clowns rywbeth i wyneb
Zac gan ei wneud yn ddall.

Fe lewygodd Zac a chwympo i freichiau'r
hen fenyw.

'Reit! Ffwrdd â fe
yn y sach, fechgyn!'
meddai hi.

Daeth Tim Chwim allan
o'r stafell i chwilio am
Zac. Ond doedd neb i'w
weld. Roedd Zac, y
clowns a'r hen fenyw
wedi diflannu.

Clywodd Zac sŵn dŵr yn disgyn o'r nenfwd.
Pitran! Patran! Pitran! Patran! Roedd ei
lygaid yn brifo o achos effaith yr hylif o'r can
chwistrellu. Yna teimlodd ddwylo cryfion yn ei
osod mewn cadair.

Doedd gan Zac
ddim syniad yn y
byd ile roedd e.

Smo fe'n moyn
ennill y gadair,
dim ond cap
dros ei wlad.

13·00

Gwelodd glowns yn ei glymu'n dynn â rhaffau.
Yna rhoddon nhw rwymyn dros ei geg. Doedd
hyn ddim yn jôc, meddyliodd Zac. Nid tric
Ffŵl Ebrill mohono o gwbl!

'Chei di byth mo
dy gap nawr, Zac!'
meddai un clown.
'Ha ha! Trueni mawr yntê!'
meddai clown arall yn gellweirus. Roedd Zac
wedi hen sylweddoli ei fod yn nwylo criw o
ddihirod drwg.

Roedd Tim yn aros i fynd â Zac i gyfarfod sylwebydd teledu. Darllenodd rai o'r hysbysebion yn ei raglen.

Zodiac

CYFLE I CHI ARWAIN Y PAC, FEL ZAC!

– Y DDIOD SY'N TANIO ZAC!

ZIP

GYDA WAC, DOES DIM ESGUS AM GYHYRAU SLAC!

Wac

CYFRINACH CRYFDER ZAC

Clywodd Zac sŵn traed yn dod tuag ato. Pwy oedd yno?

16

Hei! meddyliodd Zac. Hi ofynnodd am fy llofnod.

'Dyma fi, Elsi, wedi dod i weld Zac bach unwaith eto. Smo fy ŵyr yn moyn dy lofnod nawr wedi i mi ddweud wrtho na fyddi di'n chwarae dros dy wlad heddiw, na BYTH eto!' meddai hi'n ffiaidd. Roedd hi'n wên o glust i glust ac yn amlwg wrth ei bodd ei bod wedi cipio Zac. Beth, tybed, oedd hi'n bwriadu ei wneud ag e?

Doedd neb yn gwybod lle roedd Zac.

'Mae'n ddirgelwch!' meddai'r hyfforddwr, Heini Jones. 'Does yr un copa walltog yn gwybod ble mae e. Mae e wedi diflannu oddi ar wyneb y ddaear.'

Cofiodd Tim am yr hen fenyw a ofynnodd am lofnod Zac. Penderfynodd ffonio'r heddlu yn syth. Doedd ganddo ddim amser i'w golli. 'Helô! Prif Gwnstabl?' gofynnodd Tim.

'Mae'r plismyn gorau yn y gêm fawr,' meddai'r Prif Gwnstabl. 'Ond mi ddanfonaf yr unig ddau sydd ar ôl gen i.'

A dyma nhw! Dyma P.C. Ignatiws Fflop a P.C.
Idris Fflip. Roedd rhai yn eu galw'n Fflip a
Fflop ac eraill yn eu galw'n Ig ac Id.

Darllenodd
y Prif Gwnstabl
ei ffeil.

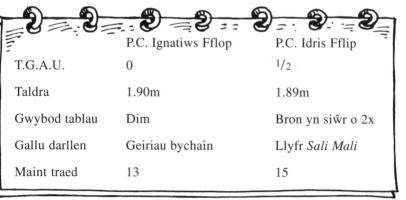

	P.C. Ignatiws Fflop	P.C. Idris Fflip
T.G.A.U.	0	$1/2$
Taldra	1.90m	1.89m
Gwybod tablau	Dim	Bron yn siŵr o 2x
Gallu darllen	Geiriau bychain	Llyfr *Sali Mali*
Maint traed	13	15

'Diar annwyl. Ond does dim
arall allwn ni ei wneud. Mae'r
bois hyn yn anobeithiol!'
sibrydodd y Prif Gwnstabl
gan ysgwyd ei ben.

19

'Mae newyddion syfrdanol wedi ein cyrraedd,' meddai'r cyflwynydd. 'Mae un o garfan Canllawia wedi diflannu. Credir mai Zac Evans, capten Brynchwim, yw'r gŵr hwnnw. Mae Zac i fod i ennill ei gap cyntaf heddiw. Mae'n rhan allweddol o'r tîm a phe na bai e'n chwarae, byddai hynny'n ergyd drom i Canllawia heb os nac oni bai. Arhoswch gyda ni i gael y newyddion diweddara am hyn.'

Roedd Ig ac Id yn chwilio . . . .

Pwy fyddai am wneud niwed i Zac?
meddyliodd Tim Chwim.

'Hm!' meddai'n bwyllog. 'Mae Cynrhon
Richards yn y carchar. Fedrith e wneud dim i
Zac. Does dim gobaith yn y byd i'r ddau
glown yna ddod o hyd iddo. Hei . . .
dau glown da
. . . tybed?'

Roedd meddwl chwim
Tim ar waith ac roedd
wedi taro ar gliw.
Odi, bois bach, mae Tim
yn cloddio am gliwiau
yn barod!

'Os na fydd Zac ar gael bydd yn rhaid i Jack Mort, y mochyn brwnt o Gasgarw, chwarae yn ei le,' meddai Tim yn ddigalon wrth olygydd *Y Seren*.

Roedd garddyrnau a choesau Zac yn gwaedu wrth i'r rhaff gnoi i mewn i'w gnawd.
Ffrydiodd y chwys i lawr ei dalcen. Roedd hi'n anodd anadlu gyda rhwymyn dros ei geg.
Doedd e ddim yn teimlo'n flin drosto'i hun – teimlo'n GRAC oedd e! Yn grac iawn.

Cofiodd am yr holl bobl oedd wedi teithio yr holl ffordd o Frynchwim i Barc y Bleiddiaid yn unswydd er mwyn ei weld e'n chwarae dros Ganllawia. A gwyddai fod ei dad ar dân eisiau'i weld yn gwisgo crys coch ei wlad.
Pan glywodd Elsi'n cyfri'r arian teimlodd yn fwy crac fyth ei bod hi a'i chriw llwfr yn gwneud elw anonest allan o dwyllo a herwgipio. Pwy ar y ddaear oedd yr Elsi yma 'ta beth? A beth oedd ganddi hi yn ei erbyn e?
Roedd un peth yn sicr – byddai'n rhaid dianc oddi wrthi ar unwaith!

Gwelodd Tim Chwim y clowns yn mynd yn llawen iawn iawn i dafarn *Y Bwci Bo*.

'Ac i feddwl ei fod e mor agos ac mor bell oddi wrth Barc y Bleiddiaid!' meddai un clown.

'Bydd Jack Mort yn cael lle Zac yn nhîm Canllawia wedi'r cyfan!' meddai ei gyfaill. Yna cerddodd gweddill criw y clowns i mewn i'r bar. Roedd pob un ohonyn nhw wrth ei fodd ac yn uchel ei gloch.

Roedd ganddyn nhw arian mawr i'w gwario yn y dafarn y prynhawn hwnnw cyn mynd i'r gêm. Roedd Tim Chwim yn gwybod yn iawn fod pobl yn fwy parod i siarad eu meddwl ar ôl cael diod neu ddau. Felly gwrandawodd yn astud ar eu sgwrs.

Dim ond chwarter awr oedd yn weddill cyn dechrau'r gêm. Doedd dim llawer o amser gan Tim Chwim i ddod o hyd i Zac. Wrth i'r peintiau ddiflannu i gegau'r clowns clywai Tim Chwim ragor o'u cyfrinachau.

'Dyma'r ffordd i ennill arian,' meddai un ohonyn nhw. 'Ry'n ni wedi gwerthu gwerth miloedd o bunnau o docynnau ffug i dwpsod Canllawia.

Fydd dim gobaith caneri i bobl y gatiau eu gadael i mewn i'r maes i wylio'r gêm.'

Erbyn hyn roedd pob un o'r clowns yn crio chwerthin. Roedd gwên ar wyneb Tim hefyd, nid oherwydd y jôcs cas, ond am ei fod yn gwybod nawr lle roedd Zac yn cael ei ddal yn garcharor. Dim ond caniad bach i P.C. Fflip a Fflop sy eisiau nawr, meddyliodd Tim.

Roedd tîm Canllawia yn y stafell newid. Roedd gwisg un chwaraewr yn hongian heb berchennog ar fachyn. Rhif saith oedd ar y crys coch, crys Zac. Yn y stadiwm roedd yr eisteddleoedd yn dechrau llenwi gyda chefnogwyr y ddwy wlad. Roedd brenhines Snobolia yn eistedd drws nesaf i lywydd Canllawia.

Roedd hi mor dywyll â bol buwch yn y garthffos. Clywodd P.C. Fflip a Fflop lais yn dod o bell.

'Munud sy gen ti i fyw, Zac Evans. Dim ond imi wthio dy gadair ac fe fyddi di'n boddi yn y budreddi.'

'Dewch ddynion,' meddai Tim yn uchel.

Cytunodd y tri y byddai Tim yn gofalu am Zac, a'r ddau blismon am y dihiryn Elsi.

'Arhoswch – yn enw'r gyfraith!' meddai P.C. Fflip

'Ry'n ni wedi'ch dal!' meddai P.C. Fflop.

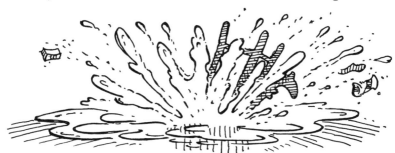

Ond roedd y dihiryn eisoes wedi gwthio Zac
i lif y garthffos. Pwy allai wneud peth mor
greulon?

Pan welodd Tim ei ffrind gorau yn cael ei
gario yn y llif aflan, doedd dim amdani ond
plymio i mewn i'r dŵr budr, dan selerydd Parc
y Bleiddiaid.

'Help! Wy'n boddi!'
gwaeddodd Zac.
'Dal sownd,
Zac! Wy'n dod!'
bloeddiodd
Tim.

Roedd Tim yn nofiwr cryf, ond doedd dim
sicrwydd y byddai Zac yn gallu cadw ei ben
uwchben wyneb y budreddi gan fod ei goesau
a'i ddwylo wedi'u clymu i'r gadair o hyd.

Dihangodd Elsi o'r garthffos a gwên lydan ar ei hwyneb. Roedd hi'n gwybod yn iawn fod P.C. Fflip a P.C. Fflop wedi taclo'i gilydd, ac wrthi'n ymladd, un i gael y gorau ar y llall.

'Wy wedi'i dal hi!' meddai P.C. Fflip.

'Mae hi yma'n ddiogel gyda fi!' meddai P.C. Fflop.

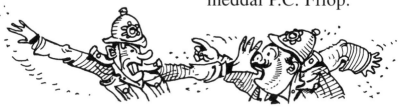

Ymhen rhai munudau sylweddolodd y ddau beth oedd wedi digwydd, a bod Elsi wedi dianc. A dyma fynd ati i feio'i gilydd a chweryla. Daeth gwaedd o ganol y garthffos . . . O'r arswyd! Beth allai fod wedi digwydd i Zac a Tim?

Roedd Elsi yr un mor benderfynol o beidio â gadael i Zac chwarae dros Ganllawia. Roedd hi'n ei gasáu â chas perffaith.

Ond bu bron i Elsi lewygu wrth iddi weld Zac yn rhedeg i ymuno â'r chwaraewyr eraill wrth iddyn nhw ddechrau canu anthem Canllawia. Roedd Tim Chwim wedi llwyddo i achub ei gyfaill wedi'r cyfan!

'Dim ots, fechgyn,' meddai Elsi wrth y criw o glowns o'i chwmpas.

'Fedrith e ddim dianc rhag y cynllwyniau cas sy gen i. Ac ry'n ni'n eistedd mewn lle perffaith yma y tu ôl i dîm hyfforddi Canllawia.'

Gwenodd y dihirod yn greulon.

'Mae gen i lond sach o bethau i wneud yn siŵr na fydd Zac ar y cae yn hir iawn!' meddai Elsi. 'Pethau erchyll, ofnadwy . . . ha . . . ha!'

Edrychodd y dyfarnwr ar ei oriawr. Chwibanodd i ddechrau'r gêm.

Ciciodd maswr Snobolia y bêl yn uchel i'r awyr o'r smotyn canol. Roedd hi'n hofran yn uchel ac roedd pac Snobolia'n carlamu'n gryf tuag at y chwaraewr oedd yn aros i'w dal.

meddai Peter Parsons.

gwaeddodd
Jeremy Luff.

Pwy oedd yn aros dan y bêl?
Pwy arall ond . . .
Zac! Blaenasgellwr
bach Brynchwim.

Daliodd Zac y bêl yn ddewr iawn. Ond
cyrhaeddodd pac Snobolia ar yr un pryd a'i
hyrddio'n ddiseremoni i'r llawr. Roedd gan
Snobolia dîm arbennig o dda. Nhw oedd
deiliaid Pencampwriaeth y Bedair Gwlad dair
gwaith yn olynol. Doedd gan Canllawia fawr o
obaith eleni eto o guro Snobolia.

33

Dim ond un peth oedd ar feddwl Elsi. Gwneud gymaint o niwed ag oedd yn bosib i Zac.

'Mae'n siŵr fod syched mawr ar Zac erbyn hyn, felly dyma gyfle iddo flasu *cynllun UN*!' meddai Elsi gan wenu a chyfnewid ei photel hi am y botel oedd gan Ddyn Potel Canllawia, oedd yn eistedd yn union o'i blaen.

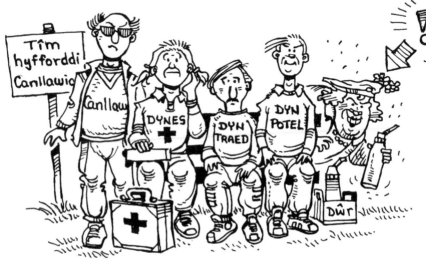

Dyfarnwyd cic gosb i Canllawia gan fod un o chwaraewyr Snobolia wedi camochri. Roedd Dyn Potel Canllawia yn barod i ruthro ar y maes i roi diod i'r ciciwr.

'Nid Zac sydd i gicio'r bêl,' meddai'r sylwebydd. 'Gwyn ap Gwyn, maswr Cricht, sy'n mynd i anelu am y pyst.'

Trosodd y gic. Roedd cefnogwyr Canllawia wrth eu boddau. Rhoddodd y Dyn Potel y ddiod i'r maswr.

35

'Na! Na!' gwaeddodd Elsi. 'Nid ti, y ffŵl. Rho'r ddiod i Zac!'

Ond roedd hi'n rhy hwyr, roedd Gwyn ap Gwyn wedi ei yfed.

'Diolch yn fawr,' meddai Gwyn. 'Jest y peth!'

Tra oedd maswr Snobolia yn ailddechrau'r chwarae, cysgu'n drwm yn erbyn y postyn oedd Gwyn ap Gwyn. Hylif cysgu oedd yn y botel.

'Dere 'mla'n!' meddai un o'r dyrfa. 'Nid dyma'r amser i gysgu!' Bu raid i'r hyfforddwr eilyddio Gwyn ap Gwyn â chwaraewr arall. 'Wy ddim yn gwybod beth sy wedi digwydd iddo!' meddai'n ddryslyd.

Roedd Elsi'n grac iawn nad Zac yfodd yr hylif cysgu.

'Dim ots,' meddai hi. 'Mae gen i fwy o driciau diawledig yn fy mag i ti, Zac Evans. Fe wnaf fy ngorau glas i chwalu dy yrfa di fel chwaraewr rhyngwladol.'

Roedd Cynrhon yn wyllt gacwn wrth wylio'r gêm o'i gell yn y carchar.

Llwyddodd Peter Higginbottom i drosi cic gosb o flaen y pyst gan ddod â nhw'n gyfartal â Chanllawia.

Roedd hi'n dri phwynt yr un. Daeth bloedd fawr o blith cefnogwyr Snobolia.

Wrth i Canllawia gael cyfle arall i fynd ar y blaen, gwelodd Elsi gyfle arall i fwrw Zac.

'Nawr amdani!' meddai hi. 'Mae Zac yn siŵr o gymryd y gic yma.'

Y tric diawledig nesaf amdani!

Roedd cefnogwyr Snobolia yn gandryll bod eu tîm wedi rhoi cyfle arall i Ganllawia fynd ar y blaen.

'Mae Canllawia wedi talu'r dyfarnwr, siŵr iawn!' meddai Snoboliad yn y dyrfa.

'Dim ond ychwanegu ychydig
o'r sment cryf yma i'r tywod
a bydd coes Zac yn torri
fel cornet hufen iâ!'
meddai Elsi.

TWM-DI-DWMMMMM

'Rhowch y gic i Zac!'
bloeddiodd un o'r dyrfa.
Ond Dai Davies oedd
wrthi'n paratoi'r bêl ar
y tywod, nid Zac.

Dacw Mam
yn dŵad, a
nicyrs ar
ei phen.

Roedd Elsi'n gandryll yn yr eisteddle y tu ôl
i'r hyfforddwr. 'Na! Na!' sgrechiodd Elsi.
'Nid Dai Davies!'

'Ac mae Dai Davies yn pwyso'n ôl ac yn
mesur ei rediad tuag at y bêl . . .'

Bu'n rhaid eilyddio Dai Davies a'i ruthro'n syth i'r ysbyty.

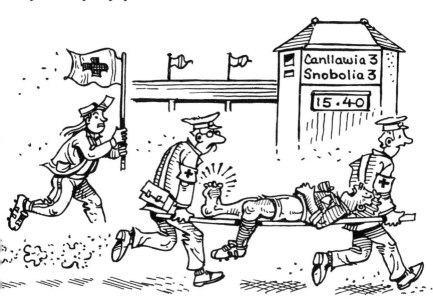

Tri phwynt yr
un oedd y sgôr
ar yr hanner.

Daeth Tim o
hyd i P.C. Fflip a P.C. Fflop. Esboniodd bod
angen galw ar fwy o heddlu. 'Mwy o heddlu?'
gofynnodd y ddau blismon.

Roedd dau chwaraewr wedi cael eu cario oddi
ar y maes. Roedd tîm Canllawia yn llai o faint
na thîm Snobolia. Doedd dim llawer o obaith
gan y crysau cochion. Roedd Canllawia dan
bwysau trwm.

'Mae'n rhaid inni ddal y pwysau am ychydig, fechgyn,' meddai Bleddyn Owen, capten Canllawia.

'Dim ond inni ddal ati, efallai gydag ychydig o lwc y bydd un ohonon ni'n gallu sgorio.'

Sugnodd y chwaraewyr eu horenau.
Roedd pob un yn canolbwyntio ar y gêm.

Chwythodd y dyfarnwr ei chwiban. Ailgychwynnodd y chwarae.

'Canllawia sy'n ailddechrau'r chwarae,' meddai'r sylwebydd. 'A dim ond deugain munud sy'n weddill cyn diwedd y gêm. Deugain munud tyngedfennol!'

Ar ôl ugain munud o chwarae cynhyrfus tarodd
Wil Williams y bêl ymlaen.

'Sgrym i
Snobolia ar
linell gais
Canllawia!'
meddai'r
dyfarnwr.

Fedrai Canllawia fyth wrthsefyll pwysau pac
mawr Snobolia.

Cydiodd blaenwyr Canllawia yn ei gilydd wrth
ffurfio sgrym. Roedd yn rhaid iddyn nhw ddal
y Snoboliaid
mwyaf trwm.

Dododd
mewnwr
Snobolia
y bêl rhwng
rhengoedd
blaen y sgrym.

Cododd wythwr
Snobolia y bêl
wrth fôn y sgrym.

Hyrddiodd ei hun dros linell gais Canllawia a
sgorio cais! Gan fod pum munud ar hugain o
chwarae'r ail hanner wedi mynd, roedd hi'n
ergyd drom i Canllawia. Roedd Snobolia ar y
blaen o wyth pwynt i dri. Ond, wrth lwc,
methodd Peter Higginbottom gyda'r trosiad.
Diolch i'r drefn! meddyliodd cefnogwyr
Canllawia. Aeth y gêm yn ei blaen gyda'r ddau
dîm o fewn trwch blewyn i sgorio. Cael a chael
oedd hi.

Dau gi bach yn
mynd i'r coed,
Deinameit o
dan bob troed...

Weithiau byddai Snobolia'n cicio a chwrsio, ac weithiau byddai Canllawia'n pasio'n gelfydd o un chwaraewr i'r llall. Methodd y ddau dîm sgorio yn ystod y cyfnod hwnnw. Tybed a allai Zac godi gêm Canllawia?

Roedd tric Elsi'n siŵr o lwyddo am fod Zac newydd gael anaf i'w ben a byddai angen rhwymyn i atal llif y gwaed o'i dalcen.

Roedd gan Elsi rwymyn yn ei llaw. Rhwymyn arbennig . . . rhwymyn cythreulig.

Roedd Zac wedi cael ei daclo, ac yn ddamweiniol

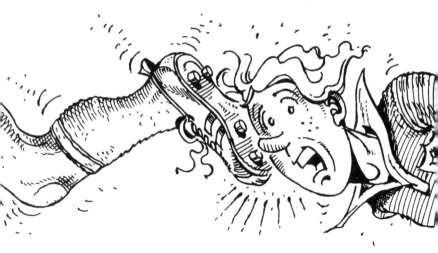

bwrodd esgid Wilber Smythe-White yn erbyn ei ben.

'O'r diwedd, dyma fy nghyfle!' meddai Elsi. 'Dim ond imi gyfnewid y rhwymyn a bydd y doctor ei hun yn rhoi'r rhwymyn cythreulig ar ben Zac.'

Rhedodd y meddyg ar y cae i archwilio pen Zac.

'Does neb i aros ar y cae os oes gwaed yn diferu o'r clwyf!' meddai'r meddyg wrth Zac. 'Bydd yn rhaid imi roi rhwymyn am dy ben. Bydd hwnnw'n siŵr o atal llif y gwaed.'

'Chi sy'n gwybod orau!' meddai Zac.

'Ha ha! fedrith e ddim dianc nawr!' gwaeddodd Elsi. 'Mae hi ar ben arno. Dwi wedi ennill! DWI WEDI ENNILL!'

Teimlodd Zac y rhwymyn yn tynhau o gwmpas ei ben. Ddywedodd e ddim ar y pryd gan feddwl efallai fod y meddyg wedi ei dynnu'n rhy dynn.

Dim ond pum munud oedd yn weddill ac roedd Snobolia'n curo Canllawia o wyth pwynt i dri. Roedd Zac mewn poen dirfawr. Roedd y rhwymyn yn tynhau drwy'r adeg. Roedd y boen yn ofnadwy.

'Aw!' gwaeddodd y blaenasgellwr. 'Mae fy mhen yn teimlo fel bwced!'

Roedd yn rhaid i Zac barhau gyda'r chwarae er ei fod mewn helynt. Doedd dim eilydd arall gan Canllawia. Carlamodd Zac wrth weld Huw Morgan yn cael ei daclo. Efallai y gallai helpu Huw i ryddhau'r bêl. Aeth i mewn i'r sgarmes fel tarw gwyllt, yn benderfynol o gael y bêl.

'Rhwygwch y bêl oddi wrth Zac!' meddai Jeremy Luff, prop Snobolia. Fedrai e ddim cyrraedd y bêl yn hawdd am fod Zac yn y ffordd. Ond gafaelodd e yn y peth agosaf ato. Gafaelodd yn rhwymyn Zac.

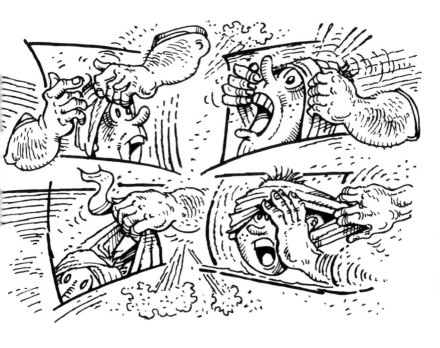

Ceisiodd rwygo'r rhwymyn oddi ar ei ben, ond roedd yn rhy dynn. Gwelodd Elsi yr hyn oedd yn digwydd a gwaeddodd nerth ei phen: 'Na! Paid â'i dynnu e!' Ond chlywodd Jeremy Luff mohoni yng nghanol holl sŵn y dorf.

Rhwygodd Jeremy Luff y rhwymyn i ffwrdd.
Rhwymyn i falu penglog Zac oedd e!

'Diolch yn fawr, Jerry!' gwaeddodd Zac.
Trodd prop Snobolia ac edrych yn hurt arno.
Roedd Zac yn rhydd i redeg heb boen bellach.
Ond dim ond munudau prin oedd ar ôl.

Ymunodd Zac â'r chwarae ar linell dau ddeg
dau Canllawia.

'Mae Snobolia wedi ennill y bêl wrth fôn y sgrym. Dim ond i G.N. Yallop basio'r bêl ac mae Arthur Fagin yn rhydd i sgorio!' bloeddiodd y sylwebydd radio. Roedd tad Zac ar ei draed.

'Dim ond tair munud sy'n weddill ac mae'r bêl yn yr awyr . . . ond drychwch pwy sy'n dod amdani!' gwaeddodd y sylwebydd.

Daliodd Zac y bêl a'i dodi dan ei gesail. Rhoddodd ei ben i lawr a rhedodd a'i wynt yn ei ddwrn tuag at linell gais Snobolia.

'Mae Zac yn mynd i sgorio . . . ' meddai un o'r dyrfa.

'Nac ydy!' meddai un arall. 'Mae'n cael ei daclo! Mae'n pasio'r bêl i Morgan Morgan ac mae e'n sgorio cais sy'n dod â Chanllawia'n gyfartal â Snobolia.'

Bloeddiodd y dyrfa wrth i Zac drosi'r cais ac ennill y gêm i Canllawia. Chwibanodd y dyfarnwr i arwyddo diwedd y gêm. Roedd Canllawia wedi ennill!

Rhuthrodd Tim Chwim tuag at Zac gan bwyntio tuag at y twnnel.

'*Mae Elsi'n dianc!*' bloeddiodd Tim. 'Hi yw'r drwg yn y caws.'

Gwelodd Zac yr hen fenyw'n cilio drwy'r twnnel. Taflodd y bêl tuag ati, a'i bwrw ar ei phen.

Digwyddodd rhywbeth hollol annisgwyl. Cwympodd ei gwallt yn glwt i'r llawr! Nid Elsi'r hen fenyw oedd yno mwyach ond . . .

61

. . . Pydew Jenkins! Wedi'i wisgo fel hen fenyw! Cydiodd P.C. Fflip a P.C. Fflop yn dynn iawn ynddo y tro hwn.

Oedd, roedd Canllawia wedi llwyddo i ennill y gêm er gwaetha holl ymdrechion Elsi . . . hynny yw . . . Pydew Jenkins. Llwyddodd yr heddlu i ddal yr holl glowns, sef tîm rygbi Casgarw, a'u rhoi gyda Pydew yng Ngharchar y Benglog. Roedden nhw'n rhannu'r un llawr â Cynrhon, pensaer y cynllwyn yn erbyn Zac. A syniad Cynrhon oedd gwerthu tocynnau ffug i gefnogwyr hefyd. Roedd cannoedd o bobl grac y tu allan i'r maes ar ôl prynu tocynnau gan glowns Casgarw. Roedd pob un wedi cael ei dwyllo gan Cynrhon a Pydew.

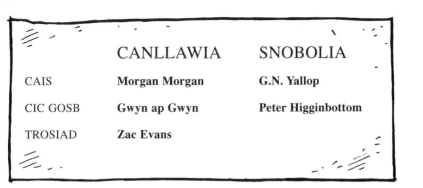

	CANLLAWIA	SNOBOLIA
CAIS	**Morgan Morgan**	**G.N. Yallop**
CIC GOSB	**Gwyn ap Gwyn**	**Peter Higginbottom**
TROSIAD	**Zac Evans**	

Zac oedd arwr y dydd. Cafodd ei gario ar ysgwyddau cefnogwyr Canllawia. Fe gawson nhw gymeradwyaeth cefnogwyr Snobolia hefyd ar ddiwedd y gêm.

LLYFRAU LLOERIG
Rhai o deitlau diweddaraf y gyfres

Sianco, addas. Angharad Dafis (Gwasg Gwynedd)
Codi Bwganod, addas. Ieuan Griffith (Gwasg Gomer)
Moi Mops, addas. Eirlys Jones (Gwasg Gomer)
Syniad Gwich? addas. Jini Owen a Brenda Wyn Jones (Gwasg Gwynedd)
Parti'r Mochyn Bach, addas. Urien Wiliam (Gwasg Gomer)
Pws Pwdin yn Cael Hwyl! addas. Gwenno Hywyn (Cyhoeddiadau Mei)
Smalwod, addas. Gwynne Williams (Gwasg Cambria)
Dannodd Babadrac, Irma Chilton (Gwasg Gomer)
Dannedd Dodi Tad-cu, Martin Morgan (Cymdeithas Lyfrau Ceredigion Cyf.)
Tad-cu yn Colli ei Ben, Martin Morgan (Cymdeithas Lyfrau Ceredigion Cyf.)
Teulu Bach Tŷ'r Ysbryd, addas. Delyth George (Cyhoeddiadau Mei)
Cemlyn a'r Gremlyn, addas. Jini Owen a Brenda Wyn Jones (Cyhoeddiadau Mei)
Popo Dianco, addas. Dylan Williams (Gwasg Gwynedd)
Nainasor, addas. Gwawr Maelor (Gwasg Gwynedd)
Gwibdaith Gron, Hilma Lloyd Edwards a Siôn Morris (Y Lolfa)
Zac yn y Pac, Gwyn Morgan a Dai Owen (Dref Wen)
Potes Pengwin / Tynnwch Eich Cotiau, addas. Emily Huws (Dref Wen)
Cofiwch Bwyso'r Botwm Neu … Mair Wynn Hughes ac Elwyn Ioan (Gwasg Gomer)
Briwsion yn y Clustiau, gol. Myrddin ap Dafydd (Gwasg Carreg Gwalch)
3 x 3 = Ych-a-fi! Siân Lewis a Glyn Rees (Gwasg Gomer)
Rwba Dwba, Gwyn Morgan (Dref Wen)
Mul Bach ar Gefn ei Geffyl, gol. Myrddin ap Dafydd (Gwasg Carreg Gwalch)
Yr Aderyn Aur, addas. Emily Huws (Gwasg Gomer)
Tŷ Newydd Sbonc, addas. Brenda Wyn Jones (Gwasg Gomer)
Pws Pwdin a Ci Cortyn, addas. Gwawr Maelor (Gwasg Gwynedd)
Nadolig, Nadolig, gol. Myrddin ap Dafydd (Gwasg Carreg Gwalch)
Ffortiwn i Pom-Pom, addas. Elen Rhys (Gwasg Gwynedd)
Penri'r Ci Poeth, addas. Elen Rhys (Gwasg Gwynedd)
Y Fflit-fflat, addas. Meinir Pierce Jones (Gwasg Gomer)
Y Fferwr Fferau, addas. Meinir Pierce Jones (Gwasg Gomer)
Ben ar ei Wyliau, Gwyn Morgan (Dref Wen)
Tad-cu yn Mynd i'r Lleuad, Martin Morgan (Cymdeithas Lyfrau Ceredigion Cyf.)
Y Ffenomen Ffrwydro Ffantastig, Martin Morgan (Cymdeithas Lyfrau Ceredigion Cyf.)
Y Llew go lew, Myrddin ap Dafydd (Gwasg Carreg Gwalch)
Chwarae Plant, gol. Myrddin ap Dafydd (Gwasg Carreg Gwalch)
Mins Sbei, Siân Lewis (Gwasg Gomer)
Ych! Maen nhw'n neis, gol. Myrddin ap Dafydd (Gwasg Carreg Gwalch)
Pwtyn Cathwaladr, addas. Elen Rhys (Gwasg Gwynedd)
Pen-blwydd Hapus Blodwen!, addas. Elen Rhys (Gwasg Gwynedd)
'Tawelwch!' taranodd Miss Tomos, gol. Myrddin ap Dafydd (Gwasg Carreg Gwalch)

Llyfrau Arswyd Lloerig:
Bwthyn Bwganod, addas. Gron Elis (Gwasg Gomer)
Y Gors Arswydus, addas. Ross Davies (Gwasg Gomer)
Y Bws Ysbryd, addas. Sulwen Edwards (Gwasg Gomer)
Mistar Bwci-bo, addas. Beryl Steeden Jones (Gwasg Gomer)